어성애 박사의 상상력을 키우는

말놀이 동시집 1

어성애

중앙대학교에서 박사 학위를 받고 아동문학가, 작가로 활동하고 있다. 유아교육을
전공해서 어린이집 원장과 중앙대학교 퍼스텝연구소 수석연구원이다.
동시집으로는 『꿈꾸는 산책』, 『아가는 궁금하다』, 『천사의 언어』, 『우리 아이들』,
『가을이 오는 소리』, 『말놀이 동시집(자음편, 모음편, 의성어편)』 등 다수.

상상나래 동시세상9
어성애 박사의
상상력을 키우는 말놀이 동시집 1

발행일 2024년 7월 22일
지은이 어성애 **기획관리** 권숙희, 김기선
마케팅 박경숙, 이정아 **편집총괄** 장명화
펴낸이 남궁기순 **펴낸곳** 상상나래 **등록번호** 제2022-000051호
주소 서울시 강동구 동남로81길 96, 501호 **대표전화** 02-441-7682
이 메 일 sangsangnarae@ssnbooks.com
ISBN 979-11-7195-038-6 73810

값 8,900원

어성애 박사의 상상력을 키우는

말놀이

동시집 1

어성애 글. 김요환/강민규 그림

상상나래
Book Publishers

차 례

차 례

프롤로그

유아교육전문가, 아동문학가로서의 삶을 조화롭게 살고 있는 지금의 시간에 감사하다. 어린이집 원장으로 유아교육 현장에서 어린이들의 전인교육을 위해 심혈을 기울이고 있다. 아이들의 바른 품성과 자질은 어떤 언어를 사용하느냐에 따라 변화할 수 있다. 최적의 교육은 좋은 환경이다. 물리적 요소뿐 아니라 말을 통한 상호작용이 매우 중요하다.

말놀이 동시를 읽어줄 때 아이들의 반응은 천사같은 웃음을 보인다. 아이들의 기쁨에 찬 모습을 보며 말놀이 동시를 만드는 행복을 느낀다.
말놀이는 재미뿐 아니라 언어교육에도 중요하다. 부모와 아이, 교사와 아이, 아이와 아이들이 말놀이로 상호작용을 하며 서로 좋아하는 관계가 되길 기대한다.

아이들은 우리들의 미래다.
좋은 말을 통해 예쁜 마음을 가꾸길 바란다.

"나비야 나비야
　너는 지금 어디가니

　나는 나는 예쁜 꽃 찾아서
　너에게 선물하려고 해"

　사랑하는 아이들에게 예쁜 꽃을 선물하고 싶다. 마음 밭을 곱게 가꾸게 하고 싶은 마음으로 말놀이 동시집을 세상에 내놓는다.

이 세상에는 여러 가지 기쁨이 있지만,
그 가운데서 가장 빛나는 기쁨은 가정의 웃음이다.
그다음의 기쁨은 어린이를 보는 부모들의 즐거움인데,
이 두 가지의 기쁨은 사람의 가장 성스러운 즐거움이다.

-페스탈로치-

밤 별이 보석 되어

쏟아지다가

은하수 다리 위에

걸렸습니다

- 별 밤 中

새벽비

세상은 고요한데
빗소리만 들립니다

주룩주룩 주르륵
하늘이 뿌려주는

생명의 양식
온 땅이 반가워서

춤을 춥니다.
주룩주룩 주르륵

새벽 비가 내립니다
새벽을 깨우는

정겨운 가락
메마른 마음에도
단비가 내립니다

무지개

한줄기 소낙비가 쏟아진 후에

하늘이 환하게 열렸습니다

땅에서 하늘까지 휘어진 다리

색색이 영롱하여 너무 예뻐요

하늘이 보낸 선물 무지갭니다

무지개 타고 하늘까지 가고 싶었는데

무지개는 벌써 저만치 가버렸어요

아침이슬

풀잎에 매달린
영롱한 구슬
도르륵 굴러갑니다

잎이 넓어서
이슬이 고이더니
잎이 휘어져
도르륵 굴러갑니다

동글동글 햇빛 받아
윤기가 나고
서로서로 힘을 모아
도르륵 굴러갑니다

위에서 아래로
내려옵니다

별 밤

밤하늘이 수놓은
별 밤하늘에
보석이 반짝반짝
숨을 쉽니다

밤 별이 보석 되어
쏟아지다가
은하수 다리 위에
걸렸습니다

살아서 숨 쉬는
별들의 고향
너무도 아름다워
가보고 싶어도
하늘이 높아서
못 간답니다

초생 달

아직도 어려서 수줍음 타요
밤은 너무 어두워
저녁해 지기 전에
살짝 고개 밀어요

밤이 오기 전에
들어가면서
서쪽 하늘 끝에서
손짓합니다

내일 다시 만나요
인사합니다

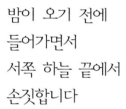

새벽 별

세상은 고요하고
하늘에는 별 하나
번쩍입니다
하늘의 왕 별 하나
유난히도 밝습니다
세상을 바라보고
번쩍입니다
보석보다 더 빛난
새벽 별 하나
홀로 이 땅을
지켜 줍니다
아기들은 쌔근쌔근
어른들은 드르렁
코 골며 잠이 들어도
새벽에 홀로 빛난
왕별이 되어
지금도 우리를 지켜 줍니다

봄 비

봄비가 내린다
이슬비가 내린다
봄비가 내린다
가랑비가 내린다
봄비가 부슬부슬
소리 없이 내린다
이슬처럼 내린다
봄비 내린다
사이사이 뚫어서
가랑비가 내린다
부슬부슬 부드럽게
봄비 내린다
생명이 내려온다
봄비 내린다

어린이는 어른보다 **한시대 새로운** 사람입니다.
어린이의 **뜻**을 가볍게 보지 마십시오.

-방정환-

고무줄 놀이 하다가
두 다리가 엉켜서 콩 넘어졌어요
도와줘요 슈퍼맨

– 슈퍼맨 中

규칙 다섯

규칙 하나
손을 씻자
쓱쓱 싹싹 손을 씻자

규칙 둘
밥을 먹자
얌얌 쩝쩝 밥을 먹자

규칙 셋
이를 닦자
치카 푸카 이를 닦자

규칙 넷
기다리자
신호등을 기다리자

규칙 다섯
인사 하자
안녕 안녕 인사 하자

종류

동물 종류 대보자
코끼리 호랑이 사자 토끼

과일 종류 대보자
사과 딸기 포도 바나나

색깔 종류 대보자
빨강 파랑 노랑 연두

생선 종류 대보자
고등어 명태 꽁치 오징어

채소 종류 대보자
시금치 당근 오이 토마토

토마토는 과일이지!
아니 아니 아니야 토마토는 채소야!

슈퍼맨

고무줄 놀이 하다가
두 다리가 엉켜서 콩 넘어졌어요
도와줘요 슈퍼맨

아이스크림 먹다가
한 입 베어 물고서 툭 떨어졌어요
도와줘요 슈퍼맨

숙제하기 싫어서
연필 뱅뱅 돌리다가 툭 굴러갔어요
도와줘요 슈퍼맨

횡단보도 건너면서
팔딱팔딱 뛰다가 쾅 넘어졌어요
도와줘요 슈퍼맨

빨간 망토 둘러메고
출동한다 슈퍼맨

우유

우리 아기 밥은 우유
밥 달라 찡얼 찡얼
밥 달라 찡얼 찡얼

우리 아기 울음을 멈추게 하는 우유
세상에서 제일 행복한 얼굴로
어느새 쭈욱 쭈욱 먹는 우유

우리 아기 좋아하는 우유
우리 아기 즐겨먹는 우유
건강 지켜주는 하얀 우유

신나게
많이 많이 먹어서
빨리 빨리 쑤~욱 자라라

체육

씽씽 달리는 체육
다리를 쩍쩍 벌리며 뛰는 운동
누구든 신나게 논다

누가 누가 멀리 가나
누가 누가 멀리 뛰나
경쟁하는 체육

체육은 나의 건강 지킴이
나의 몸을 만드는 고마운 친구
건강을 만드는 고마운 친구

고개를 돌리며
하나, 둘, 셋 구령에 맞춰서
힘차게 뛰는 체육

쥬스

쭈욱 쭈욱 마시는 쥬스
새콤 달콤한맛 쥬스

내가 좋아하는 뽀로로 쥬스
맛있게 마시는 쥬스

시원하게 마시는 쥬스
달콤하게 마시는 쥬스

나를 행복하게
만들어 주는 행복한 쥬스

휴대폰

아빠 목소리 들리는 휴대폰
엄마 목소리 들리는 전화

오빠 목소리 들리는 휴대폰
언니 목소리 들리는 전화

사랑을 속삭이는 휴대폰
나의 영원한 친구가 되자

나랑 같이 살자
내 마음 알아주는 좋은 친구 휴대폰

최고의 **가르침**은
아이에게 **웃는** 법을 가르치는 것이다.

-프리드리히 니체-

땡그란 구슬 놀이 하다가
땡그란 구슬이 도망갔네
구슬을 찾고 있는데
구슬이 연못에 둥둥 떠 있네

– 땡그란 구슬 中

예쁜가위

예쁜가위 보고 신바람 불어와
예쁜나비가 날아가네
예쁜가위로 예쁜나비 만들었지

가위야 나랑 친구하자
나비야 나풀나풀 날아서
멀리 멀리 날아가자

바람아 쌩쌩 불어라
바람아 씽씽 불어라
예쁜가위야 함께 날아가자

가자미

가자미야 어디 가니
가자미야 멀리 가자
먹이 찾아 멀리 가자

맛난 것 먹으러 가자
가자미야! 가자미야!
너는 무엇을 좋아하니?

어디서 먹을 것을 찾아볼까?
바다에서, 강에서, 호수에서

어떤 맛을 좋아하니?
짠맛, 단맛, 매운맛

가자미와 함께라면
어디든지 즐거울 거야!

개구리

개굴 개굴 아기 개구리
개굴 개굴 개구리
울음 소리가 슬프다

아기 개구리야 엄마 찾는구나
엄마 찾아 가자

개굴 개굴 아기 개구리
개굴 개굴 개구리

우리 엄마 찾았다
개굴 개굴 아기 개구리

고드름

처마 밑에 고드름
고들 고들 고드름
주렁 주렁 고드름이 달렸네

처마 밑에 대롱대롱 달렸네
누가 큰지 키 재기 하는 고드름

사랑스런 고드름
시원한 고드름

고드름 고드름 한입에 꿀꺽
아이고 시원한 고드름

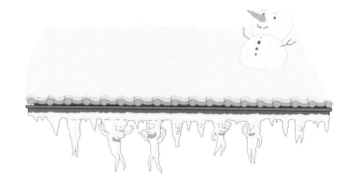

땡그란 구슬

땡그란 구슬 놀이 하다가
땡그란 구슬이 도망갔네
구슬을 찾고 있는데
구슬이 연못에 둥둥 떠 있네

그래서 물속으로 다가가
구슬을 꺼내려는데
갑자기 악어가 나타나
웅크리고 있다가 화를 내며 말했어
야, 내 눈알 건드리지마!

악어는 화를 내며 어디론가 가 버렸지
그래서 우리는 구슬을 다시 찾기 시작했지
연못 한쪽 끝에 땡그란 구슬이
잠을 자고 있는거야

우리는 다시 땡그란 구슬을 찾아서
땡그란 구슬 놀이를 시작 했지

책을 사느라고 돈을 들이는 것은 결코 손해가 아니다.
오히려 훗날 만 배의 이익을 얻을 것이다.
-황만석-

나 | 나무 | 나비 | 놀래미 | 눈사람

나무야 너는 다리 아프겠다
나무야 너는 허리 아프겠다
하루종일 서 있는 나무

– 나무 中

나

나는 나예요
나무처럼 뿌리를 깊게 내리고
나비처럼 자유롭게 날아다니며

나는 나예요
늑대처럼 용감하게
말처럼 소리내며

나는 나예요
내가 있는 곳에서
딸꾹이 소리 울려 퍼지고
뻐꾸기의 노래가 하늘에 울려 퍼져요

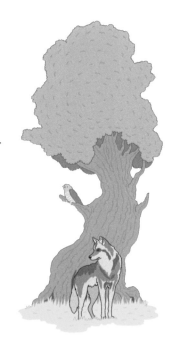

나비

나비야 나비야
너는 지금 어디가니

나는 나는 예쁜 꽃 찾아서
너에게 선물하려고 해

나비야 나비야
나랑 함께 놀자

나랑 꽃과 먹이 찾고
나랑 함께 멀리 멀리 가보자

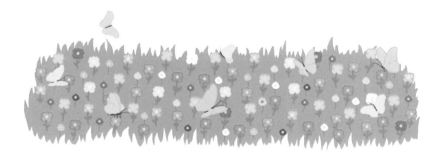

나 무

나무야 너는 다리 아프겠다
나무야 너는 허리 아프겠다
하루종일 서 있는 나무

나무야 나무야 좋은 공기
만들어 주는 착한 나무

나무야 밤에는 무섭지
나무야 낮에는 심심하지

내가 너랑 꼭 있어 줄게
너의 가지에는 새들이 노래 부르고
너의 그늘 아래서 우리는 쉬고 있어

나무야 나무야 우리는 너를 소중이 여겨
나무야 너는 나쁜 공기를 깨끗하게 해주지
나무야 너는 정말 고마워

놀래미

놀래미야 놀래미야 뭐하니?
노래하고 있어
신나게 흥얼거려

놀래미야 나랑 놀자 함께 놀자
잠깐만 기다려봐
바로 갈게

놀래미야 나랑놀자
안 놀래 혼자 놀래
나랑 함께 놀아줘

놀래미야 나랑 친구하자
친구는 정말 좋아
함께 웃고 노는 것이 최고야

놀래미야 너는 우리의 흥이 되어줘
매일 매일 즐겁고 신나는 일들로 가득차게

놀래미야 함께 뛰고 놀며 웃으면서 소리 질러
뛰고 놀고 노는 것을 끝없이 즐겨 보자

눈사람

엄마 같은 눈사람
아빠 같은 눈사람

언니 같은 눈사람
오빠 같은 눈사람

우리 가족 눈사람
하얀 눈, 흰 눈으로
우리 가족이 함께 만들었어요

따뜻한 가족의 품에서
눈사람은 우리의 사랑을 담아요

함께 있는 순간들은 소중하고
기쁜 웃음이 가득해요

책이 없는 집은 **창문이** 없는 **방**과 같다.
책을 주지 않는다면 누구도 자녀를 **양육할 권리**가 없다.

-호러스 맨-

말랑말랑 | 멈칫멈칫 | 물렁물렁
뭉게뭉게 | 미끌미끌

아기손이 말랑말랑

엄마손이 말랑말랑

손잡고 가자

- 말랑말랑 中

말랑말랑

아기손이 말랑말랑
엄마손이 말랑말랑
손잡고 가자

언니손이 말랑말랑
엄마손이 말랑말랑
손잡고 가자

우리가족 모두 말랑말랑
예쁜손 귀한손 사랑해

멈칫멈칫

꽃이 멈칫멈칫
줄기가 멈칫멈칫

멈칫멈칫 꽃잎이
멈칫멈칫 흔들리며

멈칫멈칫 생각하며
꽃이 피네

멈칫멈칫 하며
향기가 나네

물렁물렁

물주머니 물렁물렁
물렁물렁 흔들며
함께 놀자

물렁물렁 물주머니
움직이며 물렁물렁
신나게 놀자

뭉게뭉게

파란 하늘에 구름이
뭉게뭉게 두둥실 떠있네

뭉게뭉게 하얀구름
아기 얼굴이 둥실둥실

초록 공원에 오색풍선
뭉게뭉게 올라가네

구름이 뭉게뭉게
멀리 멀리 도망가네

미끌미끌

비누방울이 미끌미끌
손가락 사이로 미끌미끌

미끌미끌 간지러워
사이좋게 미끌미끌

손바닥 위로 미끌미끌
신나게 미끌미끌

미끌미끌 간지러워
즐겁게 놀아보자

행복은 생각과 말, 행동이 조화를 이룰 때 찾아온다.

-마하트마 간디-

바들바들 | 바사삭 바사삭 | 반질반질
부슬부슬 | 빙글빙글

빙글빙글 돌아가는 바람개비
후후 오른쪽으로 불면
빙글빙글 왼쪽으로 가요

– 빙글빙글 中

바들바들

바들바들 추위에
바들바들 손이
바들바들 떨고 있네

바람이 바들바들
옷이 흔들려
바들바들 날아가네

바사삭 바사삭

바사삭 바사삭
달콤한 사탕이

바사삭 바사삭
맛있는 사탕봉지

바사삭 바사삭
새콤한 젤리가

바사삭 바사삭
맛있는 젤리봉지

맛있는 달콤 새콤이
함께 나눠먹자

반질반질

우리방 반질반질
형아방 반질반질

엄마방 반질반질
누나방 반질반질

휴우 이러다 쓰러지겠네
너무 깨끗한 우리집

부슬부슬

부슬부슬 눈이 내리면
하얀 땅을 만드네

부슬부슬한 눈이 내리면
눈 싸움 하자

부슬부슬한 눈이 내리면
눈송이 만들자

부슬부슬한 눈이 내리면
눈사람 만들자

빙글빙글

빙글빙글 돌아가는 바람개비
후후 왼쪽으로 불면
빙글빙글 오른쪽으로 가고

빙글빙글 돌아가는 바람개비
후후 오른쪽으로 불면
빙글빙글 왼쪽으로 가요

후우후우 빙글빙글
내 맘대로 빙글빙글
돌아가는 바람개비

아이들이 답이 있는 **질문**을 하기 **시작**하면
그들이 **성장**하고 있음을 알 수 있다.
-존 J. 플롬프-

개굴개굴 | 고래고래 | 고양이 야옹야옹
구구구 구구구 | 귀뚤귀뚤

귀뚤귀뚤 귀뚤귀뚤
밤마다 울지 말고 나처럼 날개 비벼
싹싹싹 싹싹싹
날개를 퍼덕이며 비벼대는 메뚜기

— 귀뚤귀뚤 中

개굴개굴

개굴개굴 개구리
주룩주룩 비가 오면 온몸이 떨려요

개굴개굴 노래 부르며
비가 와서 신이 나요

물웅덩이에 앉아서
개굴개굴 목청 높이 노래 불러요

비가 오면 복어처럼
신나게 춤을 춰요

개굴개굴 소리에 맞춰
우리도 함께 뛰어 봐요

고래고래

고래가 먹이를 놓쳤다고 고래고래
물개가 짝을 찾아 달라고 고래고래

고등어가 조용히 하라고 고래고래
고래가 너나 조용히 하라고 고래고래

고래고래 소리치지 말고
조용조용 말하라고 고래고래
그래 알았다고 고래고래

고양이 야옹야옹

고양이 엄마는 어디 있을까요?

야옹야옹 울고 있어요
배고프니 야옹야옹 소리쳐요

고양이 엄마 어딨을까요?

찾았어요 야옹야옹
고양이 엄마는 최고야

야옹야옹
엄마는 항상 우리 곁에 있고

사랑과 관심을 주는 최고의 엄마
고양이 엄마는 정말 최고야

구구구 구구구

배고파서　구구구
배불러서　구구구

엄마 보고 싶어 구구구
동생과　싸워서 구구구

구구구 많이 속상해
구구구　기분좋아

보고 싶은 우리 엄마 구구구
나뭇가지 위에 비둘기 형제 하루 종일 구구구

귀뚤귀뚤

귀뚤귀뚤 귀뚤귀뚤
밤마다 쩌렁쩌렁 울어대는 귀뚜라미
귀뚤귀뚤 귀뚤귀뚤
목이 터져라 우는 귀뚜라미

귀뚤귀뚤 귀뚤귀뚤
밤마다 울지 말고 나처럼 날개 비벼
싹싹싹 싹싹싹
날개를 퍼덕이며 비벼대는 메뚜기

지식보다 중요한 것은 상상력이다.

-알버트 아인슈타인-

나나나나 | 날름날름 쩝쩝 | 냠냠냠
늴리리야 늴리리야 | 닝가닝가 닝가야

부뚜막 위에 고양이 냠냠

입맛 다시며 냠냠

음식 뚜껑 달그락달그락

고양이 혀 입맛 다시며 냠냠

– 냠냠 中

나나나나

나비와 개나리가
노래 연습을 해요
도레미파솔라시도
계이름에 맞춰
발성 연습을 해요

나비는
점점점 위로
나나나나나나 나비
개나리는
점점점 아래로
나나나나 개나리

날름날름 쩝쩝

와글와글
으악, 날파리다!

날름날름 쩝쩝
바나나
날름날름 쩝쩝
나물
날름날름 쩝쩝
생선

날파리들이 와글와글
날름날름 쩝쩝

냠냠

부뚜막 위에 고양이 냠냠
입맛 다시며 냠냠
음식 뚜껑 달그락달그락
고양이 혀 입맛 다시며 냠냠

솥뚜껑 위에 고양이 쩝쩝쩝
까슬까슬 혀 술렁술렁 냠냠
솥뚜껑 덜그럭덜그럭
고양이 혓바닥 입맛 보면서 냠냠

닐리리야 닐리리야

너구리야 뭐하니
노래 부르고 있어 닐리리야 닐리리야

큰소리로 닐리리야 노래해
함께 신나게 노래 부르자

신나게 소리 높여 닐리리야 닐리리야
뛰면서 소리 높여 닐리리야

함께 하며 소리 높여 닐리리야
같이 노래하니 행복하다

닝가닝가 닝가야

닝가닝가 신나게 춤을 추며
닝가닝가 딸그락딸그락

길쭉한 노란 젓가락, 동그란 빨간 숟가락
닝가닝가 딸그락 딸그락

길쭉길쭉 길죽이 노란 젓가락
닝가닝가 닝가야

동글동글 빨간 숟가락
닝가닝가 닝가야

길쭉이와 동글이 신나게 춤을 추며
닝가닝가 닝가야 딸그락 딸그락